C0-ALO-535

ATOUTS

De l'école à la maison

À partir de 4 ans

Raconte-moi l'alphabet : de l'école à la maison

Josée Laplante, orthophoniste

Direction et coordination du projet : Anik Theunissen-Delisle
Illustration des histoires : Gigi Wenger
Conception du logo Raconte-moi l'alphabet **:** Ose Design
Conception graphique et infographie : Francine Bélanger
Révision linguistique : Pascal Héroux et Nathalie Vallière

5800, rue Saint-Denis, bureau 900
Montréal (Québec) H2S 3L5 Canada
Téléphone : 514 273-1066
Télécopieur : 514 276-0324 ou 1 800 814-0324
caractere@tc.tc
www.atouts.septembre.com

ISBN 978-2-89471-440-9 (imprimé)
ISBN 978-2-89471-749-3 (pdf)

Dépôt légal : 3e trimestre 2014
Bibliothèque et Archives nationales du Québec
Bibliothèque et Archives Canada

Imprimé au Canada

2 3 4 5 6 ITIB 22 21 20 19 18

Gouvernement du Québec – Programme de crédit d'impôt pour l'édition de livres – Gestion SODEC.

Ce projet est financé en partie par le gouvernement du Canada

Table des matières

Avant-propos 4

Comment utiliser **Raconte-moi l'alphabet** ***De l'école à la maison*** . . 5

Ordre de présentation des lettres 6

Histoires du village des sons

a Un gros mal de dents 8
b Gros bedon rond 10
c En camping dans la forêt 12
d Qui veut jouer aux dés? 14
e Le petit garçon sans mémoire 16
f La pompe brisée 18
g À boire! 20
h Une grande timide 22
i La souris acrobate 24
j La barbe des papas 26
k Encore en camping dans la forêt 28
l Folle de la neige! 30
m mmm... C'est bon! 32
n Une gardienne désagréable 34
o Le rire du père Noël 36
p La chaloupe à moteur 38
q Toujours en camping dans la forêt 40
r Le lion rrrugit 42
s Un serpent se sauve 44
t Le joueur de tambour 46
u La charrette magique 48
v La sirène 50
w Le bébé oie 52
x La petite joueuse de cymbales 54
y Une cousine timide 56
z Zigzag l'abeille 58

d b En route vers l'école 60
q p Vers la forêt ou vers l'école 62

Avant-propos

Vous êtes un parent et vous aimeriez participer à l'apprentissage de la lecture chez un jeune enfant? Alors ce livre s'adresse à vous!

Cet apprentissage débute avec ce livre de **Raconte-moi l'alphabet** ***De l'école à la maison*** (histoires de a à z) et peut se poursuivre, si vous le désirez, avec les livres de **Raconte-moi les sons** ***De l'école à la maison*** en deux tomes (regroupant tous les autres sons comme é, è, ou, oi, an, ch, etc.).

Pour apprendre à lire par décodage, il faut d'abord apprendre que chaque lettre représente un son, pour en arriver à les combiner en syllabes et en mots. Il faut toutefois retenir que lire est un processus complexe et qu'il faut aussi développer d'autres habiletés pour devenir un lecteur vraiment compétent.

Ainsi, pour accéder au décodage, nous proposons une approche innovatrice **qui facilite grandement l'apprentissage de la correspondance sons-lettres** chez tous les enfants qui s'intéressent **à la lecture** et **à l'écriture** ou qui sont **en train d'en faire l'apprentissage**.

Il suffit de lire quelques histoires de ce livre et de jeter un coup d'œil aux illustrations pour comprendre comment **cette approche peut véritablement faciliter la mémorisation du son des lettres, que ce soit à l'école, à la maison ou pour assurer une continuité entre les deux milieux**. Les enfants visuels s'aideront des images. Les enfants plus auditifs retiendront davantage les histoires. Et si vous racontez les histoires en y joignant un geste approprié, vous donnerez un soutien supplémentaire aux enfants plus sensibles aux repères visuels. C'est simple, concret, efficace et tous ont grand plaisir à découvrir ce drôle de village qui résonne bien dans leur imaginaire, tout en étant proche de leur vécu quotidien.

Finalement, en y réfléchissant bien, cette approche constitue une réponse aux recherches dans le domaine qui ont largement démontré l'importance de prendre en compte la diversité des modes d'apprentissage chez les individus, en utilisant différentes portes d'entrée. Nous avons ici des repères à la fois narratifs, visuels, auditifs et gestuels! Même théoriquement, tout ceci est logique!

En outre, cet apprentissage se fait de façon ludique!!! Que peut-on demander de plus?

Josée Laplante, orthophoniste

Comment utiliser Raconte-moi l'alphabet De l'école à la maison

Nul besoin d'être spécialiste pour tirer pleinement profit des histoires de ce livre. Mais il faut tout de même tenir compte de certaines considérations :

1. Les personnages humains du village des sons, où se situe **Raconte-moi l'alphabet *De l'école à la maison***, portent le nom de la lettre qu'ils représentent. Les enfants feront ainsi connaissance avec **a**, la petite fille qui avait mal à une dent, **e** le petit garçon sans mémoire, ou encore la petite **g** qui a toujours soif! Il importe d'employer le nom de la lettre pour les nommer. Par contre, dès qu'il est question d'un son, il est très important de le produire phonétiquement, de façon rigoureuse. Ainsi, le bruit que fait la petite **g** lorsqu'elle boit doit s'entendre « **g-g-g** » et non pas « **gé-gé-gé** » ou « **gup-gup-gup** » ou tout autre onomatopée semblable. Sinon, on risquerait que l'enfant ne retienne pas précisément ce qu'on veut lui faire apprendre.

2. Comme c'est le cas pour tout apprentissage, on ne doit pas s'attendre à ce que l'enfant retienne d'un seul coup tous les sons et toutes les lettres, ni qu'il soit en mesure d'utiliser spontanément ses acquis en lecture. En plus de lire les histoires, il peut être intéressant :

- de jouer l'histoire avec l'enfant;
- de lui faire raconter dans ses propres mots;
- de mimer le geste proposé pour accompagner les histoires;
- de profiter de vos activités quotidiennes avec l'enfant pour l'intéresser aux mots écrits (ex. : noms des rues, affiches publicitaires, circulaires d'épicerie, textes sur les boites de jeux/céréales/biscuits, livres, recettes, magazines, clavier d'ordinateur, etc.) en ciblant une lettre dont l'enfant connait l'histoire.

Bonne lecture!

Et si jamais l'envie vous prend d'aller encore plus loin avec les histoires des autres sons (ex. : é, ou, in...), procurez-vous **Raconte-moi les sons *De l'école à la maison***. Vous pouvez également aller faire un tour du côté des trois cahiers d'activités pour apprendre à lire ***Enquêtes au village des sons*** (Septembre éditeur).

Ordre de présentation des lettres

Les histoires du livre de **Raconte-moi l'alphabet** ***De l'école à la maison*** sont présentées en ordre alphabétique.

Vous pouvez les raconter en ordre alphabétique ou dans l'ordre de votre choix, mais vous devez respecter les 2 séquences suivantes :

i - y

c - k - q

(l'histoire de c avant celles du k et du q)

Histoires du Village des Sons

Un gros mal de dents

a

Au village des sons, un matin, une petite fille appelée **a** se réveille avec un gros mal de dents. Sa joue est tout enflée du côté où ça fait mal. «**aaaaaa**, dit-elle, ça fait très m**aaaaa**l!»

Elle se rend donc chez le dentiste. «Ah! Ah! Tu as une grosse carie, dit le dentiste.

On va arranger ça.» Le dentiste prend ses instruments et soigne la dent de la petite **a**. «**aaaaaaaa**! Ça soulage!» dit **a** lorsque c'est fini.

Observe bien la figure de la petite **a**. Sa bouche et sa joue enflée forment la lettre **a**.

Quand tu verras cette lettre, rappelle-toi comme notre amie **a** était soulagée lorsque le dentiste a soigné sa dent. Depuis ce jour, elle fait toujours «**aaaaaaaa**».

La lettre **a** fait le son [a].

Suggestion de geste : Feindre d'avoir mal aux dents en plaçant une main sur la joue gauche quand vous faites «**aaaaaa**» dans l'histoire.

Un gros bedon rond

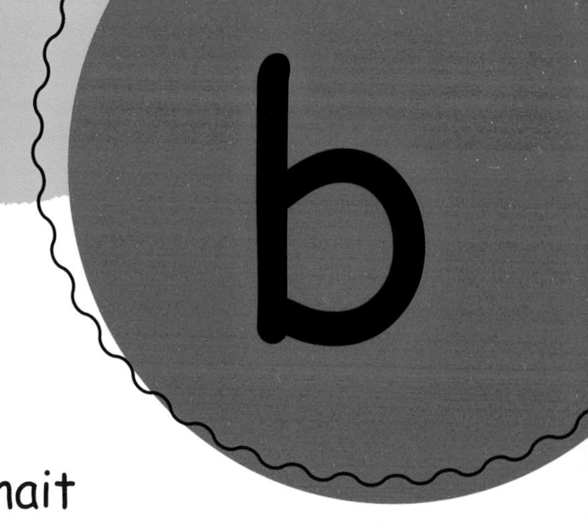

Tout le monde au village des sons connait le petit **b**. C'est un petit garçon très gourmand qui mange toujours beaucoup. À force de trop manger, son ventre est devenu très gros. Souvent, son ventre est tellement plein qu'il a de la difficulté à digérer. Alors, il fait plein de petits rots : «**b-b-b-b**». Il a tout juste le temps de s'excuser qu'il recommence déjà à faire «**b-b-b-b**». Peut-être devrait-il manger un peu moins... Qu'en penses-tu?

Regarde l'image. Vois-tu la lettre **b** qui est cachée dedans? Quand tu verras cette lettre, pense au petit **b** qui a trop mangé : «**b-b-b-b**».

La lettre **b** fait le son [**b**].

Suggestion de geste : Mettre une main sur le ventre et une devant la bouche en feignant de petits rots répétitifs : «**b-b-b**». Attention de ne pas faire «beurp» ou une autre onomatopée similaire.

En camping dans la forêt

c

Dans le village des sons, il y a une forêt aux arbres bizarres, avec des branches qui ont toutes sortes de formes. Un jour, des amis décident d'aller camper dans la forêt. Pour se réchauffer, ils ont l'idée de faire un feu. Ils vont donc ramasser des morceaux de bois. Au bout d'un moment, passant sous un arbre aux branches courbées, l'un des enfants, nommé **c**, s'écrie: «Regarde cette drôle de branche! Elle a la forme de la lettre **c**, comme dans mon nom». «Hum! Hum!, dit un autre ami, c'est bizarre. Ce n'est peut-être pas un morceau de bois.» L'ami **c** s'approche et en casse un petit bout. On entend alors un petit bruit sec: «**k**». «J'avais raison, c'est du bois, ça fait "**k**" quand ça casse», dit-il.

Regarde le morceau de bois que le petit ami **c** a trouvé. Il a la forme de la lettre **c**. Quand tu verras cette lettre, rappelle-toi qu'elle fait le son «**k**», comme un morceau de bois qu'on casse.

Suggestion de geste: Faire semblant de casser une petite branche tout en produisant le son «**k**».

Qui veut jouer aux dés?

d

Au village des sons, il y a un autre petit garçon qui s'appelle **d**. Il est facile à reconnaitre.

Il porte toujours un sac à dos et se promène en jouant avec des dés. Il en a plein dans son sac à dos, au cas où quelqu'un voudrait jouer aux dés avec lui. D'ailleurs, il demande à tous les enfants qu'il rencontre : « Veux-tu jouer aux d-d-d-dés avec moi? »

Notre ami **d** a de la difficulté à dire certains mots, surtout les mots qui commencent par la lettre **d**. C'est pour ça qu'il dit « d-d-d-dés ». Parfois, il n'arrive pas à dire le mot en entier. Il fait seulement « d-d-d ». Ce n'est pas bien grave, mais ça le gêne beaucoup.

As-tu remarqué la lettre **d** dans le dessin de son sac à dos? Quand tu verras cette lettre, rappelle-toi le petit joueur de dés qui fait « d-d-d ».

La lettre **d** fait le son [d].

Suggestion de geste : Faire semblant de brasser puis de lancer les dés dans les airs comme le personnage. Exagérer également le bégaiement du petit **d** qui s'efforce de dire son nom : « **d-d-d-d** ».

Le petit garçon sans mémoire

Au village des sons, il y a un petit garçon qui n'a vraiment pas de mémoire. Il s'appelle **e**.

e écoute bien en classe, mais la plupart du temps, il ne se souvient plus de rien. Lorsque son enseignante lui pose une question, il fait «**eeeee... eeeee**» avec l'air de chercher très fort dans sa tête. Pauvre ami! Il avait pourtant si bien écouté.

Vois-tu la lettre **e** qui forme sa tête? Quand tu verras cette lettre, rappelle-toi que **e** n'a pas de mémoire et qu'il dit toujours «**eeeee... eeeee**» lorsqu'on lui pose une question.

La lettre **e** fait le son [e].

Suggestion de geste : Prendre la position de **e** sur l'image en feignant de réfléchir tout en produisant le son «**eeeee**».

La pompe brisée

f

Au village des sons, tous les enfants vont voir monsieur **f** lorsque les pneus de leur bicyclette ont besoin d'être regonflés. Monsieur **f** est toujours heureux de rendre service et, d'ailleurs, il n'y a que lui au village qui possède une pompe à bicyclette.

« Monsieur **f**, les pneus de ma bicyclette sont tout mous. Pouvez-vous les regonfler? demandent les enfants.
— Bien sûr, mon petit, viens! »

Monsieur **f** installe sa pompe et... « fff-fff-fff ». En quelques minutes, les pneus sont regonflés. La semaine dernière, une poignée de la pompe s'est cassée. Mais ça ne fait rien. La pompe fonctionne quand même très bien et fait toujours « fff-fff-fff ».

Regarde la pompe avec sa poignée cassée. Elle a la forme de la lettre **f**. Quand tu verras cette lettre, pense à monsieur **f** qui gonfle les pneus des bicyclettes : « fff-fff-fff ».

La lettre **f** fait le son [f].

Suggestion de geste : Faire semblant d'actionner une petite pompe à bicyclette tout en produisant le son « **f-f-f-f-f** ».

À boire!

Au village des sons, il y a une petite fille qui a toujours soif. Elle s'appelle **g**. Elle n'est pas malade, mais elle a tout le temps soif et demande à boire du matin au soir.

«De l'eau, s'il vous plait!» demande-t-elle. Et on l'entend boire son eau: «g-g-g-g-g, ça fait du bien!» Quelques minutes plus tard, elle demande du jus: «g-g-g-g-g, c'est bon!» Elle a à peine fini de boire son jus qu'elle demande du lait: «g-g-g-g-g, j'en veux encore s'il vous plait!» Et c'est comme ça toute la journée.

Vois-tu la lettre **g** cachée dans le dessin? Quand tu verras cette lettre, pense à notre amie **g** qui boit tout le temps: «g-g-g-g-g».

La lettre **g** fait le son [g].

Suggestion de geste: Faire semblant de boire en accentuant le bruit de la déglutition: «**g-g-g-g**». Attention de ne pas faire «gup» ou une autre onomatopée similaire.

Une grande timide

Au village des sons, il parait que les habitants n'entendent jamais parler mademoiselle **h**.

Cette pauvre mademoiselle **h** est terriblement timide! Elle a tellement peur de parler à quelqu'un que, si l'on frappe à sa porte, elle se cache sous une chaise sans faire de bruit.

Vois-tu la lettre **h** que forme la chaise sous laquelle mademoiselle **h** est cachée? Quand tu verras cette lettre dans un mot, n'essaie pas de la faire parler. Elle ne dit presque jamais rien.

La lettre **h** est muette la plupart du temps.

Suggestion de geste : Se recroqueviller et bouger les yeux, de gauche à droite, avec une expression inquiète.

La souris acrobate

Au village des sons, il y a une petite souris acrobate qui s'appelle **i**. Elle sait faire toutes sortes d'acrobaties. Son meilleur numéro, c'est quand elle se tient en équilibre sur une corde. C'est très difficile pour une souris! Elle s'agrippe à la corde de toutes ses forces en faisant son petit cri de souris: «i-i! i-i!» Un jour, elle a failli tomber. «iiiiiiiiiiiii» ont crié les spectateurs.

Observe bien le museau et la queue de la souris acrobate. Ils forment la lettre **i**. Quand tu verras cette lettre, pense à la petite souris qui fait des acrobaties en poussant des petits cris: «i-i! i-i!»

La lettre **i** fait le son [i].

Suggestion de geste : Imiter la position de la souris suspendue à la corde et faire son cri : «**i-i, i-i**».

La barbe des papas

Dans le village des sons, tous les papas ont les joues bien douces. Tous les matins, ils se rasent la barbe avec un rasoir électrique. En ce moment, justement, **j**, le papa d'un ami du village, est en train de se raser. On entend le bruit du rasoir : « jjjjjjjjjj ». Est-ce que ton papa se rase aussi avec un rasoir électrique?

Vois-tu la lettre **j** dans le rasoir du papa? Quand tu verras cette lettre, pense au bruit que fait un rasoir électrique : « jjjjjjjjjj ».

La lettre **j** fait le son [j].

Suggestion de geste : Imiter un homme qui se rase la barbe avec son rasoir électrique tout en faisant « jjjjj ».

Encore en camping dans la forêt

Peut-être as-tu déjà entendu parler qu'au village des sons, il y a une forêt aux arbres bizarres, avec des branches qui ont toutes sortes de formes. Quelques amis, partis en camping dans cette forêt, cherchent des morceaux de bois pour se faire un feu, histoire de se réchauffer un peu. Au bout d'un moment, un des amis, nommé **k**, trouve au sol une branche bien droite fendue au milieu. Il la ramasse. Mais en la prenant de chaque côté, la branche fendue se casse en faisant un bruit sec : «**k**». «Tiens, notre branche a maintenant la forme d'un **k**, comme dans mon nom!» dit notre ami, tout surpris.

Est-ce que tu vois, toi aussi, la lettre **k** que forme la branche cassée? Quand tu verras cette lettre, rappelle-toi le bruit qu'elle a fait en se cassant : «**k**».

Suggestion de geste : Faire semblant de casser une petite branche tout en produisant le son «**k**»

Folle de la neige!

l

Aujourd'hui, au village des sons,
la première neige est tombée.
Les enfants sont bien excités, surtout
la petite demoiselle **l**! Dès qu'il a commencé
à neiger, elle s'est dépêchée de sortir dehors.
Regarde comme elle a l'air content. La tête penchée,
elle s'amuse à attraper des flocons de neige avec
sa langue. Pour rire, elle agite un peu sa langue dans
sa bouche en faisant «**llll-llll**». En la voyant faire des
«**llll-llll**» debout dans la neige, sa maman lui dit:

«Es-tu devenue folle?

— Oui, je suis folle, dit la petite demoiselle **l** à sa maman.
Je suis folle de la neige!»

Regarde la langue de mademoiselle **l** sur l'image. Vois-tu
la lettre l? Toi aussi, tu as un l en dessous sous ta langue.
C'est une petite membrane qui attache la langue dans
notre bouche.

Quand tu verras cette lettre, pense à la petite
demoiselle **l** qui attrape des flocons de neige avec
sa langue en faisant «**llll-llll**».

La lettre **l** fait le son [**l**].

Suggestion de geste: Pencher la tête vers l'arrière comme le personnage en montrant bien la position de la langue pour faire «**llll**».

mmm... C'est bon!

Au village des sons, il y a une excellente cuisinière qui s'appelle madame **m**. Tout ce qu'elle prépare est délicieux. Peu importe ce qu'elle sert pour le déjeuner, le diner ou le souper, on peut être sûr que ses enfants vont dire : « **mmm**! C'est bon! », en se frottant la main sur le ventre. C'est dommage que tu ne puisses pas gouter à son gâteau au chocolat. Tu dirais surement toi aussi: « **mmm** ».

Regarde l'image. Vois-tu la lettre **m** dans la main qui frotte le petit bedon? Quand tu verras cette lettre, pense au son que tu fais lorsque tu manges quelque chose que tu trouves bon : « **mmm** ».

La lettre **m** fait le son [**m**].

Suggestion de geste : Frotter une main sur l'estomac en faisant de petits cercles tout en produisant le son « **mmmm** ».

Une gardienne désagréable

n

Au village des sons, lorsque les parents doivent sortir, ils demandent parfois à une jeune fille qui s'appelle **n** de venir garder leurs enfants. Mais ils détestent se faire garder par elle. **n** est toujours de mauvaise humeur. Elle les surveille tout en répétant sans arrêt : « **n-n-n**, ne fais pas ci; **n-n-n**, ne fais pas ça. »

« **n-n-n** par-ci, **n-n-n** par-là », on croirait qu'elle ne sait rien dire d'autre. Tu n'aimerais surement pas te faire garder par **n**.

Observe bien l'image. As-tu remarqué que les cheveux de la gardienne font penser à la lettre **n**? Quand tu verras cette lettre, rappelle-toi que **n** la gardienne dit toujours « **n-n-n**, **n-n-n** ».

La lettre **n** fait le son [**n**].

Suggestion de geste : Bouger la tête de gauche à droite, en disant « **n-n-n** » tout en agitant un doigt menaçant.

Le rire du père Noël

Tous les enfants connaissent le rire du père Noël, même ceux du village des sons.

Tu le connais surement, toi aussi : « o-o-o! Bonjour les petits enfants! o-o-o! »

D'ailleurs, au village, les enfants appellent souvent le père Noël en disant Monsieur **o**.

C'est parce qu'il rit toujours.

Observe la bouche du père Noël lorsqu'il rit. Elle a justement la forme de la lettre **o**.

Quand tu verras cette lettre, pense au rire du père Noël : « o-o-o! o-o-o! »

La lettre **o** fait le son [o].

Suggestion de geste : Mettre la bouche bien en rond en imitant le rire du père Noël : « **ooo-ooo** ».

La chaloupe à moteur

p

Regarde la belle chaloupe! C'est celle de monsieur **p**, un gentil vieux monsieur du village des sons. Monsieur **p** se sert de sa chaloupe tous les jours pour aller à la pêche. Mais il déteste ramer. « C'est trop fatigant pour mes vieux muscles, dit-il, je préfère ma chaloupe à moteur. »

Lorsqu'il part à la pêche, monsieur **p** monte dans sa chaloupe et fait démarrer le moteur : « **p-p-p**, **p-p-p-p**, **p-p-p-p-p-p-p**... » Ça y est! Le moteur est parti et la chaloupe s'éloigne sur le lac en faisant « **p-p-p p-p-p-p p-p**... ».

Regarde le moteur de la chaloupe. On voit la lettre **p** dedans. Quand tu verras cette lettre, pense au bruit du moteur lorsque monsieur **p** le fait démarrer : « **p-p-p**, **p-p-p-p**, **p-p-p-p-p-p-p**... ».

La lettre **p** fait le son [**p**].

Suggestion de geste : Faire comme si vous tiriez la corde de démarrage d'un moteur de chaloupe tout en produisant « **p-p-p** » à chaque essai jusqu'à ce que le démarrage réussisse « **p-p-p-p-p-p** ».

Toujours en camping dans la forêt

q

Peut-être as-tu déjà entendu parler qu'au village des sons, il y a une forêt aux arbres bizarres, avec des branches qui ont toutes sortes de formes. Quelques amis campeurs partis dans cette forêt cherchent des morceaux de bois pour se faire un feu, histoire de se réchauffer un peu. Ils en ont déjà trouvé quelques-uns mais ils en cherchent encore un ou deux. En marchant un peu plus loin, une petite fille, nommée **q**, trouve un morceau en forme de **q**, « comme dans mon nom » se dit-elle. Elle regarde plus attentivement. C'est brun et ça ressemble à du bois. « Mais est-ce vraiment du bois? ». Pour vérifier, elle en casse un bout. « **k** » fait le petit bout en se cassant. « C'est bien un morceau de bois! » dit notre amie **q**, contente de sa trouvaille. « Nous avons assez de bois maintenant pour faire notre feu! »

Regarde le morceau de bois en forme de **q**. Quand tu verras cette lettre, rappelle-toi le petit bruit sec qu'il faisait en se cassant : « **k** ».

Suggestion de geste : Faire semblant de casser une petite branche tout en produisant le son « **k** ».

Le lion qui rrrugit

Sais-tu que, dans le village des sons, il y a toutes sortes d'animaux? Les habitants du village les aiment bien, en général. Mais lorsqu'ils rencontrent un lion, ils n'osent pas trop s'en approcher, surtout lorsque le lion gronde «rrrr-rrrr». Tiens, voici justement **r**, un lion très connu au village. «rrrr-rrrr». Oserais-tu t'en approcher, toi?

Observe bien le lion. Peux-tu découvrir la lettre **r** qui est cachée dedans? Quand tu verras cette lettre, pense au bruit que fait le lion lorsqu'il gronde : «rrrr-rrrr».

La lettre **r** fait le son [r].

Suggestion de geste : Simuler une patte menaçante de lion et agiter un peu cette patte en faisant «rrr-rrr».

Un serpent s se sauve en sifflant

s

As-tu peur des serpents? C'est vrai qu'ils ont l'air effrayant, mais ils ne sont pas tous dangereux. Au village des sons, par exemple, il y a beaucoup de serpents, mais ils n'ont pas de venin. Si quelqu'un les dérange, ils se contentent de faire «sss-sss», en sortant leur petite langue. En général, ça suffit pour qu'on les laisse tranquilles. De toute façon, les serpents préfèrent s'enfuir en cas de danger. Ils se déplacent très vite sur le sol en faisant «sss-sss». Tiens, regarde celui-ci. Il s'appelle **s**. Son corps a la forme de la lettre **s**. Quelqu'un l'a surement dérangé. Il se sauve en faisant «sss-sss». Tu ferais mieux de le laisser tranquille.

Dorénavant, quand tu verras la lettre **s**, rappelle-toi ce serpent qui fait «sss-sss».

La lettre **s** fait le son [s].

Suggestion de geste : Faire onduler la main en traçant un **s** pour imiter le déplacement du serpent tout en produisant le son «**sssss**».

Le joueur de tambour

L'autre jour, au village des sons, il y a eu une parade dans les rues. C'est le petit **t** qui jouait du tambour. Il marchait bien droit dans la rue en tapant sur son tambour avec ses baguettes : « t-t-t, t-t-t, t-t-t, t-t-t ». Il était fier le petit **t** ! Aimerais-tu jouer du tambour dans une parade, toi aussi?

Regarde les baguettes du tambour. Elles forment la lettre **t**. Quand tu verras cette lettre, rappelle-toi le son du tambour : « t-t-t, t-t-t, t-t-t, t-t-t ».

La lettre **t** fait le son [t].

Suggestion de geste : Frapper sur un tambour imaginaire en faisant « t-t-t-t » de façon rythmée.

La charrette magique

Au village des sons, il y a une petite charrette magique, nommée **u**, qui est tirée par un cheval. La petite charrette n'a qu'à crier «u-u» et le cheval se met en marche. La petite charrette crie: «u-u, emmène-moi à la ville!» et le cheval l'emmène à la ville. Elle crie: «u-u, ramène-moi à la maison!» et le cheval la ramène à la maison. Il l'emmène partout où elle veut.

Observe bien la charrette. Elle ressemble à la lettre **u**. Quand tu verras cette lettre, rappelle-toi que la charrette magique fait «u-u» pour donner des ordres au cheval.

La lettre **u** fait le son [u].

Suggestion de geste: Faire comme si vous agitiez les rênes d'un cheval attelé à une charrette devant vous tout en faisant «**u-u**».

La sirène du bateau

As-tu déjà entendu le bruit que fait la sirène d'un gros bateau comme celui-ci? Elle fait «vvv-vvv». Tous les gros bateaux en ont une pour prévenir les autres en cas de danger. Mais au village des sons, il y a un capitaine, nommé **v**, qui permet aux enfants de jouer sur son bateau. Ils adorent faire fonctionner la sirène, juste pour entendre le bruit qu'elle fait: «vvv-vvv». Aimerais-tu la faire fonctionner toi aussi?

Regarde-bien le dessin du bateau. Vois-tu la lettre **v**? Quand tu verras cette lettre, rappelle-toi la sirène du bateau qui fait «vvv-vvv».

La lettre **v** fait le son [v].

Suggestion de geste: Faire semblant de tirer une corde de haut en bas comme pour faire fonctionner la sirène du bateau en produisant le son «**vvvv-vvvv**».

Le bébé oie

W

As-tu déjà vu une oie? C'est un gros oiseau blanc ou gris avec un long cou. Il y en a parfois dans les fermes avec des poules et des canards. Au village des sons, il y a justement un fermier qui élève des oies. Un beau matin, il découvre que son oie préférée a pondu un œuf pendant la nuit. Les jours qui suivent, l'oie couve son œuf, comme le font toutes les femelles oiseaux.

Enfin, un tout petit bébé oie sort de la coquille. Le fermier trouve le bébé oie bien mignon. « Je vais le nommer **w** », se dit le fermier en voyant la forme de la coquille brisée. Le lendemain matin, le fermier vient voir son oie préférée et son bébé. Mais le bébé oie a disparu! « Où est-il passé? » se demande le fermier. Il cherche partout en criant : « **oi-oi**, bébé oie, où es-tu?, **oi-oi** » et enfin, le bébé oie sort de sa cachette en se dandinant sur ses petites pattes. Sais-tu où était le bébé oie? Il dormait bien au chaud sous l'aile de sa maman!

Vois-tu la lettre **w** dans la coquille? Quand tu verras cette lettre, pense à ce que disait le fermier pour appeler le bébé oie « **oi-oi**, **oi-oi** ».

Suggestion de geste : Imiter le fermier qui appelle le bébé oie en faisant le son : « **oi-oi, oi-oi** »..

La petite joueuse de cymbales

X

Connais-tu l'instrument de musique qu'on appelle cymbales? Il est formé de deux disques de métal qu'on frappe l'un contre l'autre. Ça fait un grand bruit qui résonne: «**ksss-ksss-ksss**!»

Au village des sons, lorsqu'il y a une parade, c'est toujours la petite **x** qui joue des cymbales. Elle adore frapper les cymbales de toutes ses forces pour faire beaucoup de bruit: «**ksss-ksss-ksss**». Parfois, elle s'amuse à faire sursauter les gens en frappant les cymbales tout près de leurs oreilles «**ksss-ksss-ksss**». Elle est parfois bien excitée la petite **x**!

Vois-tu la lettre **x** dans les lignes qui représentent le bruit des cymbales? Quand tu verras cette lettre, rappelle-toi le bruit des cymbales: «**ksss-ksss-ksss**».

La lettre **x** fait le son [**ks**].

Suggestion de geste: Faire semblant de frapper des cymbales l'une contre l'autre tout en faisant le son «**ksss-ksss**».

Une cousine timide

La souris acrobate a une cousine qui est très bonne, elle aussi, pour faire toutes sortes d'acrobaties. Elle s'appelle **y**.

y sait faire des numéros très dangereux, mais elle est très timide. Lorsqu'elle donne un spectacle, elle est tellement gênée qu'elle tourne le dos aux spectateurs. On la voit seulement de dos. Mais on entend quand même son petit cri de souris. Comme toutes les souris, elle fait : « i-i! i-i! i-i! »

Observe bien la souris **y** lorsqu'elle tourne le dos. Vois-tu la lettre **y**? Quand tu verras cette lettre, rappelle-toi la souris timide qui fait « i-i! ».

Suggestion de geste : En tournant le dos à l'enfant, imiter la position de la souris suspendue à la corde et faire son cri : « **i-i, i-i** ».

Le zigzag de l'abeille

As-tu déjà vu une abeille? Il y en a beaucoup au village des sons. On les entend durant tout l'été : « zzzzzzz-zzzzzzz ». Les abeilles volent très vite dans les airs à la recherche de fleurs pour fabriquer du miel. Elles peuvent changer de direction comme elles le veulent.

Tiens! En voilà une, nommée **z**, qui vole en zigzag en faisant « zzzzzzz-zzzzzzz ». Si on pouvait la suivre avec un crayon, ça ferait la lettre **z**.

La prochaine fois que tu verras la lettre **z**, pense à cette abeille qui vole en zigzag en faisant « zzzzzzz-zzzzzzz ».

Suggestion de geste : Tracer un **z** dans les airs avec un doigt tout en imitant le bourdonnement de l'abeille « **zzzzz-zzzzz** ».

En route vers l'école

Tu as surement remarqué que nos amis **d** et **b** se ressemblent. C'est normal, car ils sont frères. Ils habitent tous les deux au village des sons, dans une jolie maison peinte en blanc et vert.

Comme tous les enfants de leur âge, **d** et **b** vont à l'école. Regarde bien l'image. **d** et **b** viennent justement de partir de leur maison qui est ici, à gauche, et se rendent à l'école qui est ici, à droite.

d b

Notre ami d marche vers l'école avec son sac en arrière sur son dos et, comme toujours, il demande aux enfants qu'il rencontre « Veux-tu jouer aux d-d-d-dés avec moi? ».

Le petit **b** qui a trop mangé comme toujours marche lui aussi vers l'école, son gros bedon en avant, en faisant de petits rots « b-b-b-b ».

Rappelle-toi de cette image pour ne pas confondre les lettres « **d** » et « **b** ». Si tu ne te souviens plus de quel côté est leur bosse, imagine nos amis **d** et **b** en route vers l'école, **d** avec son sac à dos en arrière et **b** avec son bedon en avant.

La bosse de la lettre **d** est comme le sac à dos de **d** lorsqu'il marche vers l'école.

La bosse de la lettre **b** est comme le bedon de **b** lorsqu'il marche vers l'école.

Vers la forêt ou vers l'école

Tu te souviens du gentil monsieur **p** avec sa chaloupe à moteur? Eh bien, imagine-toi que monsieur **p** est allé pêcher, ce matin, et qu'il a pris le plus gros poisson qu'il ait jamais vu! Monsieur **p** est très fier de sa capture. Tous les habitants du village des sons l'ont félicité. Plusieurs personnes lui ont dit : « Les enfants de l'école trouveraient surement intéressant de voir un poisson comme celui-là. »

Monsieur **p** a donc décidé de se rendre à l'école en chaloupe. Regarde bien l'image. Monsieur **p** a attaché sa chaloupe à moteur à un piquet devant l'école qui est ici, à droite. De l'autre côté du lac, à gauche de l'image, on voit un petit bout de la forêt. Une pancarte de bois en forme de **q** indique aux gens qui veulent aller marcher dans la forêt dans quelle direction se trouve le sentier.

Rappelle-toi de cette image pour ne pas confondre les lettres «**p**» et «**q**».

Si tu ne te souviens plus de quel côté est leur bosse, imagine la chaloupe de monsieur **p** devant l'école et la pancarte de bois en forme de **q** qui pointe en direction de la forêt.

La bosse de la lettre **p** pointe vers l'école.
Celle de la lettre **q** pointe vers la forêt.